Domitille de Pressensé

émilie
et arthur

Mise en couleurs: Guimauv'

ce matin, émilie
ne trouve pas arthur.

où est arthur ?

émilie pleure,

elle aime arthur.

elle cherche

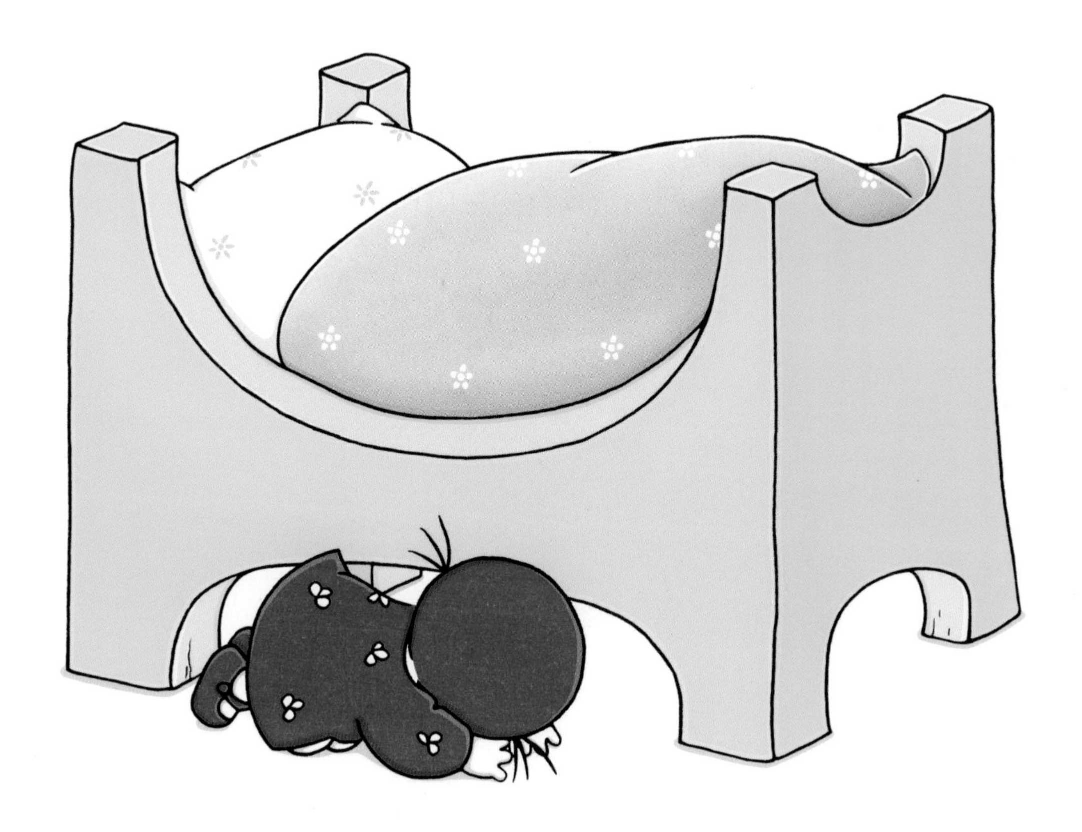

sous son lit
et elle trouve...

son joli collier
vert et blanc.

elle regarde

derrière son fauteuil
et elle trouve...

la patte de son ours.

elle ouvre le placard
et elle trouve...

son petit livre d'histoires
et une grande
chaussette.

mais pas d'arthur !

émilie pleure
très fort.

elle se mouche
dans son
petit mouchoir vert.

arthur

arthur

arthur

arthur

arthur

arthur,
où es-tu ?

viens, dit stéphane,
arthur est peut-être
dans le jardin.

Ils regardent
sous les fleurs...

Il y a une famille escargot.

Ils regardent
près du puits...

il y a une famille
lézard.

ils regardent
dans les salades...

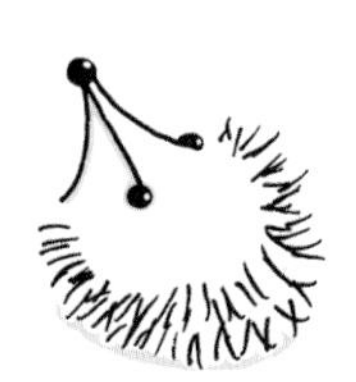

il y a une famille

hérisson.

mais…
arthur est là !

arthur

est avec

son papa,

sa maman,

tous ses frères

et sœurs.

émilie rit,

elle a
retrouvé
arthur,

son joli collier
vert et blanc,

la patte de
son ours,

son petit livre
d'histoires

et une grande
chaussette.

émilie est très contente.

Mise en page : Céline Julien
www.casterman.com

ISBN 978-2-203-01659-0
Achevé d'imprimer en avril 2010, en Italie par Lego.
Dépôt légal : août 2008 ; D. 2008/0053/427
Déposé au ministère de la Justice, Paris (loi n° 49.956 du 16 juillet 1949 sur les publications destinées à la jeunesse).